# Souvenirs de famille en
# SCRAPBOOKING

**EDITIONS ESI**

### 60, rue Vitruve 75020 Paris

©ESI. Créatrices : Michèle Beck, Aurélie Bertazzon, Sabine Bogard, Anémone Boscherini, Florence Brimeux, Fabienne Donnet, Carole Eugène, Hélène Kerglaz, Sonia Kerzerho, Edith Lazslo, Amandine Magnier, Nathalie Toussaint, Carole Violante-Charbuy.

Imprimé en Italie par Imprimerie Gruppo Editoriale Zanardi

N° ISBN : 978-2-35355-556-7- N° Sofedis : S452459

Dépôt légal : Juillet 2010 - Achevé d'imprimer : Juin 2010

Tous droits réservés pour tous pays.

# Sommaire

# Découvrir

Réalisation : Aurélie Bertazzon
chezkali.canalblog.com

## Présentation

1 - Choisir un fond de page uni. Le découper en format A4.
2 - Découper 2 papiers imprimés. Le premier papier fait 15 x 13,5 cm et le second 10 x 7,5 cm.
3 - Coller le premier papier imprimé en le centrant sur le fond uni. Arrondir les coins pour un effet plus doux.
4 - Placer la photo à gauche en la centrant au niveau de la hauteur. Coller à sa gauche le second papier imprimé.
5 - Perforer avec 2 œillets le bord gauche et y passer un morceau de ficelle. Au centre du nœud, y mettre une aiguille.
6 - Un sticker texte est collé tout au long de la photo et du papier imprimé.
7 - Sous le bloc photo et papier, mettre la date séparée par des brads.

## Fournitures

Papiers : Bazzill, KI Memories, Colors Conspiracy
Alphabet : American Crafts
Brads : SEI
Épingle : Fancy Pants Designs
Stickers : 7gypsies
Clips : Making Memories
Tampon : Bloomini Studio
Ficelle

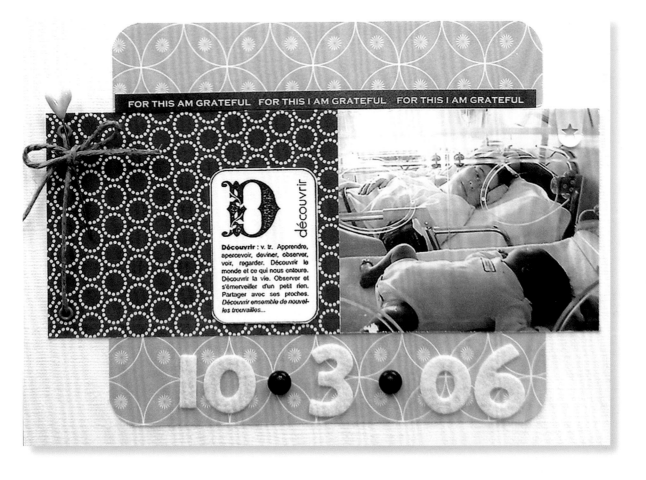

# Mon ange

Réalisation : Nathalie Toussaint
videoscrap.free.fr

## Présentation

1 - Choisir un papier à petits motifs pour le fond. Froisser les angles et déchirer quelques endroits sur les contours. User avec un paper distresser.
2 - Encrer tous les bords avec des mousses Cut'n Dry et des encres Distress. Tamponner un motif petits points tout autour.
3 - Coller un mask « notes de musique » en haut et encrer par-dessus en rose clair.
4 - Dans un papier au motif écriture, déchirer un rectangle de 10 x 25 cm. User les bords au paper distresser et encrer le tour à la Distress. Faire de même avec un morceau de page d'un livre. Les mettre en place sur le fond. Tamponner un motif horloge, ajouter un brad.
5 - Vieillir un tag et tamponner le motif « partitions ». Le placer sous la photo en biais. Coller la photo.
6 - Placer une dentelle en bas de la photo et la coller à l'aide de double face.
7 - Écrire le titre aux stickers et le recouvrir de Glossy pour un effet brillant et de relief.
8 - Finaliser en plaçant divers motifs (fleurs, brads, cœurs, strass…).

## Fournitures

Papiers : Basic Grey, page de livre
Alphabet : Basic Grey
Horloge : Heidi Swapp
Mask : Tim Holtz
Encres : Distress, Versafine
Tampon petits points : Tim Holtz
Paper distresser : Tim Holtz
Fleur et feuilles : Prima
Strass : Prima
Dentelle
Cadre en cuir : Making Memories

# Bébé douceur

Réalisation : Carole Eugene
caroleeugene.canalblog.com

## Présentation

1 - Sur le papier de fond Cosmo Cricket, coudre un carré de papier froissé (Making Memories) avec un fil rouge en doublant la couture pour un effet « free style ». Ajouter à l'intérieur un autre carré de papier avec la même technique. Coller un morceau de transparent imprimé (Rhonna Farrer), déchiré, en travers des papiers de fond. Déchirer un autre morceau de papier et tamponner des étoiles à l'encre blanche. Coller à l'horizontale sur le plus petit carré de papier.

2 - Sur du bristol blanc et du papier couleur kraft, tamponner toutes les images souhaitées, avec de l'encre Versafine sépia, de l'encre jaune ou blanche, selon les effets souhaités. Embosser certaines images avec de la poudre transparente. Découper minutieusement. Découper les lettres du titre dans du papier jaune et ombrer les bords.

3 - Disposer les photos sur la page en ne les collant qu'au centre, pour pouvoir rajouter ensuite les différents éléments découpés, en les glissant parfois sous la photo. Jouer avec les matières (fleurs, images tamponnées, images embossées) et les volumes avec des adhésifs (mousse 3D). écrire le journaling à la main et découper le texte en bandelettes, ombrer les bords. Terminer en collant complètement les photos.

## Fournitures

Papier : Bazzill, Cosmo Cricket, Making Memories, Rhonna Farrer
Tampons : Florilèges Design, PSX, Artemio
Encres : Colorbox, Versafine, Ranger (distress)
Poudre à embosser : Artemio
Alphabet : Cricut (Don Juan), American Crafts, Making Memories
Boutons : Bazzill, Making Memories
Fleurs : Prima, Artemio, Bazzill
Brads : Bazzill
Perforatrice : EK Success, Nestabilities
Autres : couture machine, mousse 3D

# Première photo

Réalisation : Beck Michèle
michouscrap.canalblog.com

## Présentation

1 - Découper un carré de 24 cm de côté, gratter les bords, puis coller au centre du fond de page, en roulottant avant les coins.
2 - Coller deux étiquettes/tag puis ajouter la photo. Placer un œillet sur celui de droite et ajouter une ficelle.
3 - Nouer un large ruban par-dessus la photo, puis coller le titre.
4 - Coller à gauche de la photo plusieurs chipboards et quelques fleurs avec des brads au centre. Ajouter un tampon texte sur un petit rectangle de tissu.
5 - Découper trois cercles de 6,5 et 2,5 cm de diamètre. Gratter les contours, froisser et superposer. Coller sur la page et ajouter quelques points de couture. Tamponner un motif doodling et fixer deux fleurs avec des brads.
6 - À droite de la photo, tamponner le même motif doodling, puis décorer de quelques fleurs.
7 - Finaliser la page avec des traits de stylo blanc autour de chaque élément (titre, chipboards…) et déchirer les contours de la page.

## Fournitures

Papiers imprimés : Upsy, Daisy Designs
Étiquette : Making Memories
Chipboard : Fancy Pants
Tag : Scrapmalin
Tampons : Onirie
Ruban : May Arts
Fleur : Prima
Alphabet : American Crafts, Adornit
Stylo feutre blanc
Paper distresser

# Sois notre lumière

Réalisation : Carole Violante Charbuy
caroline60.canalblog.com

## Présentation

1 - Découper 3 cercles évidés de 8 cm de diamètre dans des chutes rouges et un cercle évidé de 10 cm de diamètre dans une chute de papier rose.

2 - Coller vos 3 photos dans les 3 cercles rouges et les coller sur le papier de fond en les superposant sur quelques millimètres horizontalement. Faire dépasser le cercle à droite et couper le morceau qui dépasse du papier de fond.

3 - Coller le cercle rose sur le cercle central.

4 - Prendre la ficelle argentée et la coller avec une colle forte en haut à droite de la photo centrale en suivant la forme d'un cœur. Faire un nœud avec la cordeline rose, le coller en bas à gauche du rond central. Faire un nœud avec un fil à broder beige dans un bouton en nacre et y insérer une aiguille. Le coller sur le nœud.

5 - Mettre de la colle sur le bord des lettres chipboards roses et verser dessus des micro-perles. Laisser sécher puis coller votre titre.

6 - Décorer votre page : coller quelques papillons détourés d'un papier imprimé, dessiner un rond de points rouges avec un feutre sous le rond de gauche, coller 2 étiquettes rondes à côté des ronds de droite et de gauche, poser les transferts d'oiseaux et le mot au-dessus de la photo centrale.

7 - Tamponner les phrases avec une encre marron.

8 - Terminer la page en recouvrant tous les petits cœurs imprimés du papier avec le gel pailleté.

## Fournitures

Papiers : Fancy Pants, My Mind's Eye, SEI
Alphabets chipboards rose : Heidi Swapp,
Transfert K & Company
Transferts : Hambly, K & Company
Étiquettes Love Notes : Making Memories
Cordeline rose, ficelle argentée
Gel pailleté givré Stickles : Ranger
Aiguille : Making Memories
Micro-perles roses : Stamperia
Tampons : La Compagnie des Elfes

# Un jour, une vie...

Réalisation : Aurélie Bertazzon
chezkali.canalblog.com

## Présentation

1 - Choisir un fond de page uni. Le découper au format A4.
2 - La photo fait 9 x 10 cm ; le papier imprimé : 8,5 x 10 cm ; le papier à rayures : 17,5 x 1 cm.
3 - Délimiter au crayon à papier les marges afin de coller droit les 3 éléments.
4 - Placer en premier le papier à rayures à 8 cm du bas et laisser une marge de 1,7 cm des bordures gauche et droite.
5 - La photo est directement collée à droite au-dessus du papier à rayures et le papier imprimé se trouve à gauche de la photo. Cela constitue notre bloc papiers/photo.
6 - Trois chipboards assortis aux papiers sont collés directement sous le papier à rayures, séparés par des brads.
7 - La touche décorative se trouve sur le papier imprimé avec 2 rub-ons.
8 - Un trait blanc entoure ce bloc et les chipboards, en laissant une marge de 1 cm à gauche et à droite, 8,5 cm en haut et 6,5 cm en bas.

## Fournitures

Papiers : Bazzill, Scenic Route
Brads : Basic Grey
Chipboards : Scenic Route
Rub-ons : October Afternoon, Kesi'art

# Ethan

Réalisation : Édith Laszlo

## Présentation

1 - Choisir une photo à l'horizontale et la coller sur un Bazzill blanc de manière à obtenir un cadre très fin.
2 - Découper 2 rectangles de papiers imprimés, festonner un côté à l'aide de la perforatrice d'angle.
3 - Choisir des embellissements coordonnés et les disposer à cheval sur la photo et les papiers choisis.
4 - Tamponner puis découper un rectangle qui sera collé sur des mousses autocollantes afin de donner du relief.
5 - Tamponner le papier de fond pour créer une ligne qui assiéra la composition.
6 - Coller le titre à cheval sur la photo.

## Fournitures

Papier : Bazzill et Paper Salon
Boutons : récupération
Étoiles et lettres en carton : American Crafts
Tampons : Absolument Scrap
Grillage autocollant : Magic Mesh
Embellissements autocollants : Magenta
Encre : Versafine

# Mon parrain

Réalisation : Nathalie Toussaint
videoscrap.free.fr

## Présentation

1 - Choisir un papier uni pour le fond. Dans le premier papier décoré, découper un carré de 26 x 26 cm. Encrer les contours et le placer au centre de la page.
2 - Découper en deux le papier rond festonné. Placer un mask au milieu et appliquer de l'encre de plusieurs couleurs de manière à réaliser un dégradé. Retirer le mask et tamponner un motif écriture sur le côté. Encrer les bords, ajouter un ruban avant de le coller sur la droite de la page.
3 - Gratter les contours de la photo pour réaliser un cadre blanc.
4 - Ciseler entièrement un motif branche avec fleurs, l'encrer pour foncer la couleur et le coller sur la page.
5 - Découper le titre à la Cricut (machine électronique de découpe de papier)
6 - Placer le journaling dans un porte-étiquette métal préalablement peint en doré avec de l'encre à alcool.

## Fournitures

Papiers : Bazzill, Making Memories, Prima
Encres : Distress, Ranger, Versafine
Alphabet cricut : Jasmine
Tampon écriture : Hero Arts
Mask : Tim Holtz
Porte-étiquette : Toga
Encre à alcool doré : Ranger
Alphabet stickers : Toga

# Baptême

Réalisation : Amandine Magnier
aamdine.com

## Présentation

1 - Monter la photo sur du papier uni avec un bord fin. Accrocher un ruban dessus et faire un nœud au milieu de la photo.
2 - Déchirer un carré de 18 x 18 cm et encrer les bords à la Distress. Coller ce carré au milieu du fond de page. Décorer avec deux rubans sur le côté droit. à gauche, réaliser un coin photo et accrocher une étiquette.
3 - Tamponner un motif fleurs en bas à droite, à cheval sur le fond de page et sur le papier imprimé.
4 - Créer un nid d'embellissements à l'aide des fleurs, de la perforatrice et en détourant des motifs tamponnés. Insérer le journaling à l'intérieur.
5 - Faire le titre avec des stickers et surligner les lettres avec le stylo gel blanc pour les faire ressortir.

## Fournitures

Papier uni : Bazzill
Papiers imprimés : Rhonna Farrer , K & Company
Tampons : Florilèges, Hero Arts
Rubans
Boutons
Attaches parisiennes
Fleurs
Étiquettes : Toga
Stickers : Basic Grey, Toga
Crayon gel blanc
Embellissement autocollant : KI Memories
Encre Distress : Ranger
Mousse Cut'n dry : Ranger

# Family

Réalisation : Nathalie Toussaint
videoscrap.free.fr

## Présentation

1 - Redimensionner un Bazzill jaune très pâle en 25 x 25 cm. Abîmer les bords en les froissant et en les déchirant avec un paper distresser.
2 - Faire un encrage très large avec des encres Distress et des mousses Cut'n Dry.
3 - Tamponner un motif « notes de musiques » en haut à droite et en bas à gauche avec de la Versafine.
4 - Dans un papier décoré, déchirer un rond évidé de 20 cm de diamètre. Entourer ce cercle d'un fil marron et coller le tout sur la gauche de la page.
5 - Mater la photo et abîmer les bords puis coller sur le cercle.
6 - Détourer entièrement des motifs de branches fleuries et les disposer sur le tour du cercle. Ajouter des grosses fleurs Prima encrées pour les vieillir.
7 - Tamponner des papillons dans différentes couleurs et les détourer afin de les placer sur la page.
8 - Écrire le titre à l'aide d'un alphabet métal carré.

## Fournitures

Papiers : Bazzill, Prima
Encres : Distress, Versafine
Tampon : RICO DESIGN (notes de musiques), Inkadinkado (papillon)
Fleurs et feuilles : Prima
Alphabet : Making Memories
Fil marron
Embellissement serrure : Melissa Frances
Paper distresser : Tim Holtz

# Happy Birthday

Réalisation : Sabine Bogard
coconuts44.canalblog.com

## Présentation

1 - Dans un cardstock uni, découper un rectangle de format A4 qui servira de fond de page et 2 rectangles (l'un de 9,5 x 13,7 cm et l'autre de 9,5 x 10 cm). Dans un papier imprimé, découper un rectangle de 20 x 28,7 cm. Arrondir les angles à l'aide d'une perforatrice. Le centrer et le coller sur le fond de page.

2 - Retailler votre photo en 9 x 13,5 cm et arrondir les angles à gauche. Le coller sur le rectangle de cardstock le plus grand dont les angles auront été également arrondis à gauche. Coller le tout sur le bord droit de votre page. Coller également le petit rectangle (dont les bords droits auront été arrondis) à la même hauteur et du côté gauche de votre page.

3 - Sur le rectangle de cardstock à gauche, superposer étiquettes, tampon monté sur mousse 3D, découpes de rhodoïd, fleurs… Coudre un petit bouton au centre de chaque fleur et coller quelques demi-perles irisées tout autour.

4 - Percer un trou au niveau des angles supérieur et inférieur gauche. Fixer un œillet et y passer 3 tours de ficelle avant de la nouer.

5 - Ajouter le titre légèrement à cheval sur la photo.

## Fournitures

Papiers : Collage press et Bazzill
Tampon : Florilèges design
Encres : Versafine
Étiquettes : Créative Imagination, Heidi swapp (transparente)
Chipboards alphabet : American Crafts
Fleurs : Imaginisce et Bazzill
Brads : Hot of the Press
Demi-perles : Rayher
Découpe : dies Toga
Ficelle de cuisine, boutons de récupération et dymo.

# Fiesta

Réalisation : Nathalie Toussaint
videoscrap.free.fr

## Présentation

1 - Choisir un papier uni pour le fond. Le découper en rond festonné en se servant d'un papier ayant déjà cette forme comme gabarit. Gratter tous les contours pour faire apparaître la seconde couleur du papier Core'dination.
2 - Placer une bande de papier décorée de 3,5 cm de haut en bas de la page et ajouter un ruban pompons en dessous.
3 - Monter la photo sur du papier blanc puis sur un carton plume pour apporter du relief. Placer le tout sur la page.
4 - Réaliser une bande festonnée trouée et la coller sur la droite de la photo. Coller un ruban à la verticale par dessus.
5 - Dans un papier coordonné, détourer tous les motifs à la main, fleurs, doodling, oiseau, branche… et disposer le tout harmonieusement sur la page.
6 - Réaliser le titre à l'aide de chipboards et ajouter de la peinture pailletée dans les lettres.
7 - Parsemer quelques perles de pluie pour terminer la décoration.

## Fournitures

Papiers : Core'dinations, K & Company, Bazzill
Alphabet : K & Company
Carton plume
Ruban : Toga, mercerie
Perles de pluie : Gifi
Attaches parisiennes : Toga
Peinture pailletée : Ranger

# Celebrate

Réalisation : Aurélie Bertazzon
chezkali.canalblog.com

## Présentation

1 - Choisir un Bazzill 30 x 30 cm et le découper en format A4.
2 - Mater la photo avec une bordure de 0,5 mm en plus. La photo fait 6 x 10 cm.
3 - Couper un papier imprimé aux dimensions 6,5 x 9 cm qui sera sous la photo à la verticale.
4 - Placer 2 autres papiers (les mêmes) qui encadreront la photo et le papier. La taille est identique pour les deux (6,5 x 1,5 cm).
5 - Coller au centre ces éléments à la verticale en laissant une marge de 7,25 cm à gauche et à droite.
6 - Couper une bande à rayures de 15 x 1 cm qui se trouve sur le papier imprimé sous la photo. Mettre 2 brads au milieu de celui-ci à 1 cm du haut et du bas.
7 - Positionner les embellissements. Sur le papier rayé, 2 rub-ons sont apposés. Le tampon est réalisé sur un papier à motifs et le titre sur le papier imprimé sous la bande à rayure.
8 - Finaliser la page en faisant un contour au crayon blanc en gardant une nouvelle marge de 3,5 cm à gauche et à droite et de 1,5 cm en haut et en bas. Poser 2 brads au milieu, en haut et en bas.

## Fournitures

Papiers : Basic Grey, KI Memories, Bazzill Pinecone et kraft
Chipboards alphabets : American craft
Rub-ons : Basic Grey
Tampon : Bloomini Studio
Brads : Basic Grey, Bazzill basics

# 8 ans

Réalisation : Édith Laszlo

## Présentation

1 - Choisir une photo à l'horizontale.
2 - Découper 2 bandes de papiers coordonnés puis à l'aide d'un cutter découper un côté en vague.
3 - Disposer ces bandes de manière harmonieuse pour que la photo y soit superposée.
4 - Sélectionner les éléments en relief (arbre découpé à l'aide d'une forme en carton, boutons assortis, fleurs en cuir...) qui agrémenteront votre page.
5 - Tamponner de part et d'autre de la photo, sur les papiers imprimés et sur le fond uni.
6 - Coller le titre à cheval sur la photo.
7 - Dessiner un rond au crayon de papier à l'aide d'une assiette et disposer des brads à égale distance les uns des autres de manière à fermer la composition.

## Fournitures

Papier de fond : Bazzill et Paperloft
Brads et Fleurs en cuir : Making Memories
Lettres autocollantes : American Craft
Boutons : SEI
Étiquette fourmi : Doodlebug Design
Photo turn : 7gypsies
Tampons : Absolument Scrap
Encre : Versafine

déjà
huit ans

# 6 ans

Réalisation : Carole Eugène
caroleeugene.canalblog.com

## Présentation

1 - Sur une feuille de Bazzill Kraft, disposer plusieurs rectangles de papier imprimé (Cosmo Cricket). Mater les photos sur du papier blanc pour le contraste sur le fond également très coloré. La photo principale (portrait) a été matée sur deux couleurs pour la mettre en valeur. La petite photo du gâteau a été découpée avec un punch carré sur une photo ratée. Disposer les photos sur la page en les faisant se chevaucher pour les deux plus grandes. La petite photo se trouve également connectée à l'ensemble avec le papier noir qui touche aussi les deux autres photos.

2 - Faire toutes les impressions avec les tampons Florilèges Design et l'encre Versafine sépia. Découper minutieusement les images, embosser certaines avec la poudre clear et ombrer les bords. Coller avec la mousse 3D. Disposer les fleurs et les étoiles sur la partie inférieure de la page, en donnant l'illusion d'une bordure.

3 - Découper les lettres du titre avec la cartouche Don Juan. Ajouter les différentes décorations, les fleurs et les strass. Le chipboard Scenic Route a été poncé sur les bords pour faire apparaître une bordure plus claire. Poser deux œillets en haut de la page et faire passer du ruban dans les deux sens contraires pour un effet d'encadrement de la page.

## Fournitures

Papier : Bazzill, Cosmo Cricket
Tampons : Florilèges Design
Encres : Colorbox, Versafine, Ranger (distress)
Poudre à embosser : Artemio
Alphabet : Cricut (Don Juan), American Crafts
Brads : Bo Bunny
Rubans : May Arts
Fleurs : Bazzill, Artemio, Casa
Déco : chipboard (Scenic Route), strass (Hero Arts)
Autres : œillets, mousse 3D

# Où sont les mariés ?

Réalisation : Aurélie Bertazzon
chezkali.canalblog.com

## Présentation

1 - Peindre grossièrement le fond de page Bazzill et le mettre de côté.
2 - Évider l'intérieur du papier imprimé afin d'obtenir un grand cadre.
3 - Découper un rectangle de 12 x 18 cm dans un second papier imprimé, puis matter la photo dessus.
4 - Coller ensuite sur le fond de page, ajouter un morceau de 30 cm de ruban juste sous la photo puis coller le cadre sans mettre de la colle sur toute la surface du papier, afin de pouvoir roulotter et déchirer les bords par la suite.
5 - Coller le titre au-dessus et sous la photo, ajouter les boutons et les chipboards. Superposer deux grosses fleurs, puis ajouter un tampon et quelques nœuds de ruban. Surligner ces éléments avec un stylo correcteur blanc.
6 - Décorer les deux coins en haut de page avec des chipboards et des boutons et surligner encore une fois.
7 - Terminer en donnant du volume à la page : déchirer de-ci de-là les contours du grand cadre.

## Fournitures

Papiers imprimés : Upsy Daisy Designs
Papier cardstock : Bazzill kraft
Ruban : American Crafts
Fleurs : Prima
Alphabets : Sassafrass Lass, October Afternoon, Adornit
Chipboards : EmbelliScrap, American Crafts
Boutons transparents : EmbelliScrap
Tampon : Chatterbox
Peinture acrylique blanche
Stylo feutre blanc
Paper distresser

MaiS Ou soNt

maries?

# La mariée

Réalisation : Florence Brimeux
videoscrap.free.fr

## Présentation

1 - Choisir un papier uni pour le fond et tamponner un motif doodling sur tout le tour. Faire un encrage assez large pour donner de la profondeur.
2 - Disposer plusieurs rubans en biais en bas de la page et les coller avec du scotch double face.
3 - Monter la photo avec des bords blancs, la coller et ajouter un coin en haut à droite accroché avec des attaches parisiennes : un chipboard recouvert de peinture acrylique dorée.
4 - Coller un journaling et ajouter une petite flèche en chipboard sur la droite. Tamponner un motif « cage à oiseaux » et le coller sur le journaling surmonté d'une mousse pour un effet de relief.
5 - Superposer 4 grosses fleurs et accrocher le tout avec une attache parisienne. Coller un chipboard « clef » dessus.
6 - Le titre est réalisé avec un alphabet chipboards et encré à moitié. Ensuite, ajouter de la glossy pour un effet ultra brillant et pour finir, mettre de la peinture pailletée dans les lettres.

## Fournitures

Papiers : Bazzill
Ruban : récupération
Fleurs : Prima
Alphabet : Toga
Peinture pailleté : Ranger
Attaches parisiennes : Toga, Rayher
Tampons : Fancy Pants, Hero Arts
Chipboards : 7Gypsies
Peinture acrylique dorée
Mousse 3D : Glue Dots
Encres : Versafine, Colorbox
Glossy : Ranger
étiquette journaling : My Mind Eyes

# Ensemble

Réalisation : Florence Brimeux
videoscrap.free.fr

## Présentation

1 - Choisir un papier faux uni pour le fond.
2 - Coller la photo, en dessous coller un rectangle de papier décoré de la même largeur que la photo. Encore en dessous coller un second rectangle. Sur la gauche coller un rectangle en ayant pris soin de découper le côté gauche en festons et en ayant fait des trous dans chaque feston.
3 - Rayer le tour de la photo avec l'envers du cutter pour former un cadre.
4 - Dans un rectangle de papier uni, faire deux encoches sur les côtés pour insérer le ruban. Le replier et l'accrocher avec des attaches parisiennes. Coller avec du double-face.
5 - Aligner des losanges de papier décoré et les séparer avec des strass.
6 - Écrire le journaling dans une étiquette et le titre avec des stickers.

## Fournitures

Papiers : Basic Grey, Bazzill
Alphabet : Toga
Ruban : Création Scrapbooking (offert avec le magazine)
Etiquette journaling : Toga
Strass
Attaches parisiennes : Toga
Gabarit festons : Toga

# Le bouquet

Réalisation : Sabine Bogard
coconuts44.canalblog.com

## Présentation

1 - Dans un papier imprimé, découper un rectangle de format A4 qui servira de fond de page. Dans un cardstock uni, découper un rectangle de 16 x 25 cm.

2 - Faire développer 2 fois la même photo en format 10 x 7,5 cm, mais la première en noir et blanc et la seconde en couleurs. Retailler la photo couleurs en otant 1 cm sur les 4 côtés. Matter les 2 photos finement. Coller la photo couleurs sur mousse 3D et la centrer sur la photo noir et blanc.

3 - Découper dans une gaze un rectangle de 16 x 14 cm. L'encoller avec une bombe de colle permanente et la positionner dans le coin inférieur gauche du cardstock uni. Créer un effet de volume en pliant et superposant, de façon aléatoire, la gaze sur les bords. Coller en son centre les 2 photos superposées.

4 - Nouer un ruban tout autour du cardstock uni et le positionner sur la bordure inférieure de la photo noir et blanc. Centrer le cardstock sur le fond de page et coudre à la machine les 2 papiers, au point droit.

5 - Ajouter à cheval sur la gaze et les papiers quelques fleurs et feuillage, dans le coin inférieur gauche. Dans un cardstock uni, tamponner un papillon à l'encre noire. Le détourer et le coller directement sur la gaze dans le coin supérieur gauche.

6 - Ajouter le titre au-dessus du ruban pour terminer la page.

## Fournitures

Papiers : Basic Grey et Bazzill
Tampons : Basic Grey
Encres : Versafine
Fleurs : Prima
Brads : Hot of the Press
Découpes : Craft Robo et dies Quickutz
Colle : bombe de colle permanente ODIF
Ruban acheté en mercerie et gaze achetée en pharmacie

le Bouquet

# Mariage

Réalisation : Florence Brimeux
videoscrap.free.fr

## Présentation

1 - Utiliser un papier décoré pour le fond. Déchirer en biais un papier motif papillons et le coller de bas de la page. Déchirer en biais un autre papier et placer ce morceau sous le premier.
2 - Monter la photo en 2 temps, une fois en beige et une fois en violet avec un bord un peu plus large.
3 - Avant de coller la photo, placer un morceau de livre déchiré, un journaling rond festonné et un morceau de Magic Mesh. Positionner la photo par-dessus l'ensemble.
4 - Coller un embellissement doodling dans le coin supérieur gauche.
5 - Écrire le titre à l'aide de chipboards et accrocher une fleur pour la décoration.
6 - Coller 2 ailes en résine et placer un cœur par-dessus.
7 - Écrire le journaling sous forme de définitions.

## Fournitures

Papiers : Rouge de Garance, Best Creation Inc, Bazzill
Alphabet : Toga
Magic Mesh
Page de livre
Journaling rond festonné : Making Memories
Doodling strass : Prima
Ailes en résine : Melissa Frances
Fleur : Toga
Attaches parisiennes : Toga

# Mariage

# Amour

Réalisation : Nathalie Toussaint
videoscrap.free.fr

## Présentation

1 - Choisir un papier faux uni pour le fond. Réaliser un encrage à la Distress et la mousse Cut'n Dry en insistant dans les angles. Tamponner un motif doodling dans le coin supérieur gauche.
2 - Dans un papier décoré, découper un rectangle de 26 x 13 cm et déchirer le bas. Faire un encrage large sur 3 des 4 côtés et le coller en bas de la page.
3 - Dans un Bazzill cœur festonné blanc, déchirer tout l'intérieur pour obtenir un cœur évidé. Encrer en bordeaux les contours extérieurs et en marron les contours intérieurs. Lacer un ruban autour sur 10 cm de long. Le coller en biais sur la page.
4 - Coller un ruban cœurs au-dessus du rectangle.
5 - Monter la photo en blanc et l'accrocher avec des attaches parisiennes.
6 - Écrire le titre aux stickers et ajouter du stylo gel blanc sur les contours pour le faire ressortir.
7 - Écrire le journaling aux stickers sur une page de bloc journaling Toga.

## Fournitures

Papiers : Basic Grey, Bazzill
Alphabets : Toga
Tampons : Fancy Pants
Encre Distress : Ranger
Mousse Cut'n Dry : Ranger
Stylo gel blanc
Attaches parisiennes : Toga
Bloc journaling : Toga

Amour...

la
sortie
de
l'église

# Remember

Réalisation : Sonia Kerzerho
soscrap.canalblog.com

## Présentation

1 - Travailler les bords du papier de fond à l'encre Colorbox.

2 - Découper un rectangle de 28 x 16 cm dans le papier imprimé vert à pois. Poncer et user les bords avec le papier de verre et l'Aged Scraper. Détourer les motifs du papier de fond à droite au cutter de précision et glisser le rectangle dans la fente obtenue et le coller.

3 - De la même manière, détourer les fleurs, feuillages et oiseau du dernier papier imprimé et coller le tout en relief à l'aide de mousse 3D tout autour de l'imprimé vert, de façon à former un cadre. Y ajouter quelques fleurs.

4 - Poncer les bords de la photo et la coller sur 3 côtés seulement pour pouvoir y glisser un tag sur lequel seront notés les petits souvenirs de mariage. Les bords du tag sont encrés à l'encre Colorbox, un morceau de ruban y est noué et les mots « Pour se souvenir » sont inscrits à l'aide de rub-ons.

5 - Pour finir, renforcer le titre « Remember » du papier imprimé en traçant les contours au stylo marron.

## Fournitures

Papiers imprimés : Prima
Fleurs : Prima
Tag américain : 7gypsies
Ruban : May Art
Rub-ons alphabet : Toga
Aged Scraper : Making Memories
Encre : Colorbox Chestnut brown
Papier à poncer
Stylo feutre fin marron : Faber Castell

# Love

Réalisation : Nathalie Toussaint
videoscrap.free.fr

## Présentation

1 - Choisir un papier uni pour le fond. Dans un papier imprimé, découper une bande de 7 cm de haut dans le papier Toga et la coller à 5,5 cm du bas de la page.
2 - Coller un ruban au-dessus de cette bande. Tamponner un motif doodling en bas de la bande en répétant le motif de façon à former une frise.
3 - Monter la photo en blanc puis en beige et la disposer sur la droite du fond de page sans oublier un rectangle de 16 x 7 cm en dessous.
4 - Découper un motif cœur et s'en servir comme un mask en le posant sur la page et en encrant les contours, le retirer ensuite pour observer le résultat. Dessiner un second cœur en faisant un tour blanc. Et ajouter un troisième cœur festonné qui est découpé grâce à la Décoratrice de Toga, le coller en relief.
5 - Faire un tampon motif d'angle en haut à droite.
6 - Écrire le titre à l'aide d'un alphabet chipboards.
7 - Ajouter le journaling dans un porte-étiquette métal.

## Fournitures

Papiers : Bazzill, Toga
Encre : Versafine, Versamagic
Alphabets : Toga
La Déoratrice : Toga
Die cœur festonné : Toga
Tampons doodlings : Inkadinkado
Stylo blanc : Posca
Porte-étiquette : Toga
Attaches parisiennes : Toga

# Hugues & Amandine

Réalisation : Amandine Magnier
aamdine.com

## Présentation

1 - Sur le papier uni, reproduire le pochoir broderie à l'aide d'une aiguille, dans l'angle en haut à droite. Broder ensuite le motif avec deux brins de fils de coton.
2 - Couper le papier imprimé fantaisie et le coller en bas à gauche de la page. Encrer les bords en rouge puis en noir.
3 - Découper une bande de papier imprimé et déchirer seulement un côté. Encrer les bords en noir.
4 - Coller la photo en faisant un trait blanc à l'aide d'une lame de cutter.
5 - Écrire le journaling avec des stickers en suivant les courbes du papier fantaisie.
6 - Décorer les chipboards blancs, qui composent le titre, à l'aide de tampons et de l'encre noire, puis encrer les bords.
7 - Appliquer des tampons doodling sur le fond de page et sur les papiers imprimés.
8 - Faire une fleur avec la perforatrice, tamponner dessus un motif et encrer les bords. Positionner une attache parisienne au centre et coller un badge dessous.

## Fournitures

Papier uni : Bazzill
Papiers imprimés : Making Memories
Pochoir broderie : Kars
Stickers : Basic Grey
Fil de coton : DMC
Tampon : Inkadikado , Hero arts, Florilèges transfert K&Company transfert K&Company
Perforatrice : Mac Gill
Embellissement : Côté Scrap
Encre : rouge, blanche et noire
Attache parisienne
Chipboard alphabet : Toga

hugues et amandine

AMOUR

# Trio de charme

Réalisation : Fabienne Donnet
horizon.scrapbooking.free.fr

## Présentation

1 - Choisir un fond de page uni irisé.
2 - Découper une bande de 30,5 x 6 cm dans un papier à motifs et festonner l'une des deux longueurs. Coller cette bande à 4,5 cm du bord inférieur de votre fond de page. Ajouter un ruban fin à la jonction des deux papiers. De part et d'autre de cette bande, faire des trous réguliers et les repasser ensuite au stylo gel blanc pour faire un effet fausse couture.
3 - Découper dans un papier uni plus clair un rectangle de 13 x 18 cm. Coller ce papier avec un décalage sous l'angle supérieur gauche de votre photo. Coller le tout en mordant un peu sur la bande déjà en place. Faire un tampon d'angle sur l'ensemble.
4 - Dans le coin supérieur droit de votre fond de page, faire une broderie à l'aide d'un gabarit et de fils DMC (ici motif papillon).
5 - Faire un tampon étiquette et écrire le journaling à l'intérieur. Le coller à cheval sur le coin en bas à droite de votre photo.
6 - Ajouter les embellissements : fleurs, strass, rub-on d'angle…
7 - Placer un chipboard branche et oiseau peints et recouverts de glossy sur la page.
8 - Pour finir, placer le titre sur votre fond de page : alterner lettres stickers et lettres rub-on.

## Fournitures

Papiers : Bazzill, Fancy Pants « Sweet Spring »
Peintures acryliques rose et verte
Chipboards : Toga
Tampons transparents
Encre marron : Versafine
Alphabet stickers rub-on : Making Memories
Stylo gel noir et blanc
Fils DMC vert et blanc
Fleurs en papier
Attaches parisiennes strass
Doodling strass
Perles de pluie : Gifi
Ruban
Glossy : Ranger

Trio de Charme

Trio de choc, trio de charme, ce n'est pas tous les jours que l'on marie ses parents !!!

Vous êtes magnifiques les enfants mais est-ce que ces belles tenues sont restées blanches longtemps ?

26 juillet 2008

# Belle demoiselle

Réalisation : Carole Violante Charbuy
caroline60.canalblog.com

## Présentation

1 - Découper une bande de papier imprimé rose foncé de 12 x 30 cm et la coller dans le sens de la verticale sur le papier de fond.
2 - Tamponnez un motif texte à 4 cm du bas de la page de fond et au bas de la bande de papier.
3 - Détourer au cutter ou aux ciseaux fins une grande branche de fleurs, des fleurs toutes seules et quelques papillons de différentes tailles.
4 - Coller votre photo de 10 x 13 cm.
5 - Coller sur le côté droit la branche détourée. Coller en relief 3D quelques fleurs. Placer également les papillons pour obtenir un équilibre visuel.
6 - Coller votre titre en haut de la photo en mélangeant les alphabets. Placer les transferts de mots sur la photo.
7 - Coller l'étiquette sur le coin gauche en bas de la photo. à l'aide d'un petit bout de fil à broder, faire un petit nœud dans un bouton en nacre et insérer en biais une épingle.
8 - Terminer la page en mettant quelques touches de gel pailleté sur votre photo.

## Fournitures

Papiers : Making Memories, SEI
Alphabets : stickers Making Memories, chipboards blancs Thicker
Transferts : Kesi'art
Gel pailleté Pink Stickles : Ranger
étiquette Love Notes : Making Memories
Aiguille : Making Memories
Tampon : Hero Arts
Encre Distress "Brushed corduroy"

# Les cousins...

Réalisation : Hélène Kerglaz
www.kerglaz.com

## Présentation

1 - Découper des rectangles dans 3 des papiers. A : 13 x 25 cm, B : 10 x 23 cm, C : 15 x 20 cm.
2 - Encrer les bords de tous les rectangles.
3 - Poncer les bords de la photo.
4 - Coller le rectangle A verticalement à droite de la page, puis le B horizontalement à cheval sur le A.
5 - À l'aide d'un cutter, ouvrir le papier le long des arabesques du dernier rectangle afin de glisser la photo légèrement dessous.
6 - Coller le dernier rectangle ainsi que la photo.
7 - Tamponner les fleurs sur les restes de papiers en utilisant les versos.
8 - Détourer toutes les fleurs, les positionner en guirlande à gauche de la page.
9 - Monter les petites fleurs en les assemblant avec les brads.
10 - Coller l'ensemble des fleurs harmonieusement en jouant avec des adhésifs d'épaisseurs variées.
11 - Ajouter quelques points et traits au feutre Posca, et le titre au stylo gel.

## Fournitures

4 Papiers Fanfreluches (Collection églantine au Far West recto-verso)
Encre : VersaMagic (java)
Feutre : Posca Fleurs et brads : La fourmi
Mousse adhésive
Stylo gel glaze
Tampon clear « Funky Flowers » : Kelly Panacci
Toile émeri

Tous les cousins sous le cèdre bleu......

Plestin _ Aout 2005

# Tournicoti tournicotons

Réalisation : Anémone Boscherini

## Présentation

1 - Couper une bande de 12 cm de large dans un papier à motifs. La coller sur un papier texturé au milieu de la page.
2 - Découper un rectangle de 21 x 19 cm dans un papier avec un bord possédant une découpe, celle-ci étant conservée sur un des côtés. Le coller à cheval sur la bande déjà en place, en le décalant légèrement vers la gauche.
3 - Couper ensuite une petite bande de 14,5 x 4 cm dans un autre papier à motifs. Puis dans un papier dentelle à motifs floraux, découper quelques fleurs en les laissant accrochées les unes aux autres. Coller ces deux morceaux dans le bas de la page.
4 - Coller alors la photo à cheval sur la petite bande.
5 - Réaliser votre titre dans le haut de la page avec un alphabet autocollant pour la première partie et un alphabet transferts pour la suite. Utiliser un troisième type d'alphabet pour indiquer la date, à l'opposé du titre.
6 - Coller des perles de pluie à l'aide de points de colle Glue Dots.
7 - Imprimer quatre petits « zozios » avec des tampons et les coller à différents endroits sur la page avec des pastilles 3D pour donner du relief. Faire de même avec le tampon « Moments heureux ».

## Fournitures

Papiers : Three Bugs in a Rug, Pink Paislee,
KI Memories
Papier texturé : Toga
Tampons : Toga
Alphabets autocollants : Toga, My Mind's Eye
Alphabet transferts : Creative Imaginations
Perles de pluie : Casa
Mousse 3D : Glue Dots
Points de colle : Glue Dots

# Nous 2

Réalisation : Amandine Magnier
aamdine.com

## Présentation

1 - Choisir un fond de page faux uni, faire un tampon dans l'angle gauche et encrer tous les bords de la page avec une encre Distress et un Color Dusters (gros pinceau brosse).
2 - Déchirer deux rectangles de différentes tailles, encrer les bords et coller.
3 - Découper un morceau de rhodoïd de la taille de la photo. Faire un tampon dans l'angle droit en bas avec de l'encre StazOn blanche. Encrer les bords avec de la peinture blanche puis coller.
4 - Découper une enveloppe avec deux tags, les décorer et les coller.
5 - Faire un coin photo avec une chute de papier assorti et l'agrémenter de rubans et de fleurs.
6 - Fabriquer une fleur en déchirant du papier en forme de rond, le froisser et l'encrer.
7 - Coller le titre et le journaling.
8 - Finir la décoration de la page avec des perles de pluie, des fleurs et des papillons.

## Fournitures

Papiers : Basic Grey
Encres : Distress, StazOn
Fleurs : Prima
Tampons : Katzelkraft, Fancy Pants
Perles de pluie : Gaïa
Rubans
Stickers : Basic Grey
Color Dusters : JudiKins
Rhodoïd transparent
Peinture acrylique blanche

NOUS 2

Faire des câlins
dans l'herbe
avec maman
à Marainvilliers
c'est vraiment
trop bon !!
2008

# Se promener

Réalisation : Nathalie Toussaint
videoscrap.free.fr

## Présentation

1 - Choisir un papier uni brillant pour le fond. Coller la photo en haut à gauche du fond.
2 - Sur la droite de la photo, coller un rectangle de 12 x 24 cm sur lequel des festons seront préalablement découpés et tous les bords encrés en vert clair.
3 - En dessous de la photo, coller un rectangle de 4,5 cm de hauteur et juste en dessous un second rectangle de la même taille. Encrer tous les bords.
4 - Pour délimiter les deux derniers rectangles collés, placer un ruban qui débordera sur le fond vert.
5 - À l'intersection des trois papiers décorés, coller une très grosse fleur en papier, puis une plus petite dessus et terminer par une bille plate pour faire le centre. Ajouter un doodling strass sur le côté.
6 - Écrire le titre à l'aide d'un transfert et placer une ligne en doodling en dessous.
7 - Finir la page en collant des perles de pluie sur chaque feston, à droite.

## Fournitures

Papiers : Little Yellow Bicycle collection Delight Ful, Bazzill brillant
Encreurs : VersaMagic
Fleurs : Prima
Gabarit feston : Toga
Ruban
Strass : Prima
Bille plate : Prima
Perles de pluie : Casa
Transferts : Atilolou, BoBunny

se promener

# Jouer ensemble

Réalisation : Michèle Beck
michouscrap.canalblog.com

## Présentation

1 - Tamponner en haut et en bas de page un motif doodling puis coudre par-dessus. Ajouter un gros motif notes de musique puis plusieurs fleurs sur la droite. Fixer trois fleurs vertes avec des brads de couleur marron au centre, et un brad jaune sur les fleurs tamponnées.
2 - Découper un rectangle de 16 x 30,5 cm dans un papier imprimé bleu, dont deux côtés en feston. Coller ce rectangle à environ 2 cm du bas de page. Découper un rectangle de 12 x 20 cm dans un papier imprimé marron, gratter les contours, le coller par-dessus le rectangle bleu puis ajouter la photo.
3 - Dans un papier imprimé marron, découper un tronc d'arbre puis le coller sur la page. Dans un papier imprimé vert, perforer sept cercles, tamponner des fleurs dessus puis coudre les contours. Dessiner un petit « gribouillis » tout autour, gratter les bords des cercles, puis les coller pour faire un arbre.
4 - À l'aide d'un tampon « herbe », tamponner de chaque côté de la photo, puis ajouter quelques petites fleurs.
5 - Agrafer sur toute la largeur de la page un ruban dentelle.
6 - Tamponner le titre sur des chutes de papier puis découper. Coller chaque lettre une à une en traçant les contours au stylo correcteur.
7 - Découper des bandes de papier pour le journaling.
8 - Pour finir, gratter les contours du fond de page et déchirer à certains endroits.

## Fournitures

Papiers imprimés : Rose Moka
Fleurs : Prima
Tampons : Purple Onion Designs
Brads : American Crafts
Ruban de récupération
Stylo correcteur : Tipp-Ex
Paper distresser : Tim Holtz
Agrafeuse
Encres Distress (marron et vert) : Ranger
Perforatrice : Martha Stewart
Fils de broderie

# Promenons-nous...

Réalisation : Michèle Beck
michouscrap.canalblog.com

## Présentation

1 - Découper un rectangle de 11 x 24 cm, gratter les contours puis coller en bas de page. Découper ensuite une bande de 5 x 30,5 cm, abîmer les bords puis coller par-dessus le premier rectangle de papier.
2 - Coller la grande photo par-dessus les rectangles de papier, puis aligner les trois petites photos sur le côté, à cheval sur la grande photo. Surligner les contours au stylo correcteur.
3 - Découper un chipboard cadre en deux afin d'en faire deux coins photo puis coller. Ajouter sur le côté droit une découpe « tige de feuille » puis un bouton. Découper un cercle de 6 cm puis le coller au centre d'une grosse fleur. Couper les pétales de la fleur et ajouter un motif tamponné au centre. Fixer le tout sur la page et agrafer un morceau de ruban.
4 - Même procédé pour la fleur sur le côté gauche, la couper en deux avant de la coller, ajouter un bouton et un doodling.
5 - Coller le titre, en alternant les alphabets, puis surligner les contours au stylo correcteur.
6 - Passer un bout de cordeline dans un tag, puis agrafer sur la page en ajoutant un ruban et un bouton.
7 - Terminer en grattant les contours du fond de page et en recouvrant les fleurs de gel pailleté.

## Fournitures

Papiers : TaDa Creative Studios, Kraft
Fleurs : Prima
Tampon : TaDa Creative Studios
Alphabets : Adornit et American Crafts
Ruban : American Crafts
Chipboard : TaDa Creative Studios
Boutons transparents
Tag
Cordeline
Slice : Making Memories
Stickles : Ranger
Stylo correcteur : Tipp-Ex
Paper distresser : Tim Holtz
Agrafeuse

# Nature...

Réalisation : Nathalie Toussaint
videoscrap.free.fr

## Présentation

1 - Choisir un papier uni pour le fond. Découper une bande de 25 x 5 cm et arrondir le bord gauche. Coller cette bande à 10 cm du bas du fond de page.
2 - Monter la photo en deux fois, avec un bord blanc puis un bord coloré. Coller la photo.
3 - À l'aide d'une assiette, tracer un cercle au crayon autour de la photo à gauche. Ensuite, avec un gabarit de broderie sur papier en métal, percer les trous pour pouvoir réaliser les motifs. Placer le gabarit sur le trait de crayon pour obtenir un cercle de broderie. Broder chaque motif un à un avec du fil de coton DMC avec deux brins.
4 - Placer le titre en arc de cercle autour de la broderie.
5 - Dans des papiers très décorés, découper tous les éléments qui serviront à la décoration de la page. Nuages, papillons, branches, biches, tout est détouré à la main et collé sur le fond de page.

## Fournitures

Papiers : Bazzill, Fancy Pants
Gabarit de broderie en métal
Fil à broder : DMC
Alphabet stickers : Toga
Strass : Prima

Week-end avec Fabienne et Olivier Mai 2008

# Le rituel du bouquet

Réalisation : Michèle Beck
michouscrap.canalblog.com

## Présentation

1 - Découper dans un premier papier imprimé deux bandes de 2 x 30,5 cm dont un côté découpé aux ciseaux cranteurs pour un effet festonné, puis faire des petits trous dans chaque feston. Découper deux autres bandes de 3 x 30,5 cm dans un autre papier imprimé avec un côté découpé aux ciseaux cranteurs.

2 - Coller une bande à l'horizontale à 4 cm du haut de page, puis coller par-dessus une seconde bande découpée avec les petits trous. Coller ensuite une bande à environ 1 cm du bas de la page, puis une autre bande à petits trous par-dessus.

3 - Coller la photo et tracer les contours des bandes festonnées et de la photo, au stylo correcteur.

4 - Sur les chutes des papiers imprimés utilisés précédemment, tamponner deux motifs « étiquettes » et découper. Diviser ensuite en deux parties inégales puis les coller de chaque côté de la photo. Redessiner les contours au stylo correcteur.

5 - Fixer des fleurs avec des brads et coller le papillon.

6 - Coller le titre sur le bas de la photo et dessiner les contours de chaque lettre au stylo correcteur. Écrire le journaling directement sur la photo. Terminer en grattant et déchirant les bords du fond de page.

## Fournitures

Papiers : Mémento, Kraft
Fleurs : Prima
Tampon : Purple Onion Designs
Alphabets : American Crafts, Toga
Brads : Making Memories
Ciseaux cranteurs
Perforatrice petit cercle
Papillon : Gifi
Stylo correcteur : Tipp-Ex
Paper distresser : Tim Holtz

Le
# rituel
du
# bouquet

petite tradition à
chaque promenade...
Camille ramasse avec
bonheur quelques fleurs
pour en faire le
plus beau des bouquets
pour sa maman...

# Repos

Réalisation : Amandine Magnier
aamdine.com

## Présentation

1 - Choisir un fond de page faux uni. Découper une bande de 2 x 23 cm dans le papier imprimé et réaliser des festons troués sur un côté.
2 - Découper un rectangle de 10 x 23 cm. Faire un tampon d'angle en bas à droite et encrer les bords avec de la Distress et un Color Dusters (gros pinceau brosse).
3 - Dans le reste du papier imprimé, faire une grande accolade et encrer les bords toujours à la Distress. Coller les trois rectangles les uns à côté des autres au centre de la page.
4 - Faire une petite bande dans un autre papier imprimé de 3 x 15 cm. Monter la photo sur un bord en papier déchiré. Coller le tout.
5 - Coller les lettres du titre à l'aide de chipboards en les séparant d'attaches parisiennes. Réaliser le journaling à la main sur du papier uni et le découper en petites bandelettes.
6 - Décorer la page en ajoutant des stickers et un tampon journaling pour écrire le prénom de la personne.

## Fournitures

Papiers : Basic Grey, Bazzill
Tampons : Florilèges, Fancy Pants
Chipboards : Toga
Attaches parisiennes : Toga
Encres : Distress
Gabarit : Toga
Stickers : Basic Grey, Toga
Color Dusters : Judi Kins

Entre deux parties de foot,
tu te reposes dans l'herbe.
Jardin de Papou et Nanou
à St Jacut Les Pins.
2008

·R·e·P·o·s·

# Caché

Réalisation : Amandine Magnier
aamdine.com

## Présentation

1 - Découper un rectangle dans un papier imprimé et le coller en biais sur le fond de page. Réaliser de la couture en zigzag tout autour avec une couleur en contraste avec celle du papier.
2 - Monter une première fois la photo avec un bord de 3 mm et une deuxième fois avec un bord plus large qui sera poncé et encré.
3 - Coller un ruban sous la photo. Faire une bande de papier et la coudre sous le ruban en faisant des plis. Réaliser un rectangle avec un côté festonné et troué.
4 - Décorer à l'aide de tampons, de boutons et de perles de pluie le bas droit de la page.
5 - Réaliser des fleurs avec des fleurs en papier et des rubans.
6 - Coller le titre et le journaling.

## Fournitures

Papiers : Basic Grey
Stickers : Basic Grey
Rubans
Fleurs
Boutons
Perles de pluie : Gaïa
Tampons : Inkadinkado
Pochoir festonné : Toga

Derrière
tes herbes
dans
les fossés
du parc
du château
de Versailles,
on a du mal
à te voir !!
Juin 2008.

Caché

# Fleur parmi les fleurs

Réalisation : Carole Violante Charbuy
caroline60.canalblog.com

## Présentation

1 - Découper façon « mur un peu cassé » le transparent. Le coller sur le papier blanc.
2 - Découper un rectangle de 15 x 18 cm dans le papier rouge arrondi et deux bandes de 5 x 15 cm dans les autres papiers. Détourer quatre nuages.
3 - Coller le rectangle en biais dans le centre de la page. Coller en les superposant sur le bas du rectangle, les deux bandes. Coller aussi les nuages en les « coinçant » sous les papiers.
4 - Coller votre photo de 13 x 15 cm.
5 - Coller votre titre.
6 - Coller un chipboard coin photo à l'angle gauche en haut de la photo et un cœur dans lequel on aura mis un nœud, en bas de la photo.
7 - Poser le transfert « papillon » sur une chute de papier blanc, le détourer et le coller à droite de la photo. Coller les autres transferts aussi : soleil, fleurs et mots dans les nuages.
8 - Terminer la page en collant trois perles de pluie en bas à gauche et en surlignant le contour intérieur des nuages avec le gel pailleté.

## Fournitures

Papiers : Gaïa, Creative Imaginations, American Crafts
Transparent « briques bleues » : Hambly
Alphabet stickers : Creating Keepsakes
Alphabet chipboards : Thicker
Transferts : American Crafts
Gel pailleté givré Stickles : Ranger
Chipboards : Scenic Route
Ruban : May Arts
Perles de pluie rouges : Atilolou

Sunshine

{Summertime

"fleur

parmi LES fleurs"

# Plantation

Réalisation : Nathalie Toussaint
videoscrap.free.fr

## Présentation

1 - Choisir un papier uni pour le fond. Tamponner des motifs de fleurs en bas à droite. Tamponner une première fois en violet foncé, puis imprimer le motif une seconde fois légèrement en décalé et en couleur blanche pour obtenir un effet d'ombre.
2 - Encrer en marron l'angle supérieur droit avec de la mousse Cut'n'Dry et vaporiser ensuite un peu d'eau avec de la poudre Perfect Pearls dorée pour obtenir un papier irisé.
3 - Coller un rectangle de papier de 24 x 10 cm à gauche et délimiter le papier à l'aide d'un ruban.
4 - Positionner la photo et coller les accolades en haut et en bas. Peindre au préalable les accolades avec de la peinture Crackle Paint.
5 - Tamponner un motif fausse couture zigzag en blanc sur tout le tour de la page.
6 - À côté de la photo, coller une feuille de bloc de journaling et réaliser une décoration « petit jardin » en bas à l'aide de tampons et d'embellissements en papier. Écrire ensuite le journaling aux stickers.
7 - Faire le titre à l'aide de tampons alphabet et détourer toutes les lettres avant de les coller à l'aide de mousse 3D.
8 - Pour la décoration, positionner un doodling strass en dessous du titre et ajouter des fleurs pailletées.

## Fournitures

Papiers : Bazzill, Pink Paislee
Tampons alphabet
Tampons fausse couture, arbres et fleurs
Bloc journaling : Toga
Ruban : Toga
Alphabet stickers : Toga
Peinture Crackle Paint : Ranger
Mousse Cut'n'Dry : Ranger
Perfect Pearls : Ranger
Accolades : Fancy Pants
Fleurs pailletées : Making Memories
Strass : Prima
Attaches parisiennes fleurs : Toga
Mousse 3D

Une Fleur
Parmi les
Fleurs

Plantation

# L'arbre

Réalisation : Michèle Beck
michouscrap.canalblog.com

## Présentation

1 - Découper un papier imprimé en forme d'étiquette et gratter les contours. Découper l'intérieur en haut à gauche en suivant le coin arrondi, puis gratter et plier. Coller sur le cardstock noir et dessiner les contours au stylo correcteur.
2 - Coller un morceau de dentelle en bas de page, puis un autre en papier. Découper un tag à l'aide de la Slice de Making Memories, surligner les bords en blanc, ajouter un nœud de ruban puis le coller sur les dentelles.
3 - Matter la photo sur une chute de Bazzill noir, puis la coller sur la page. Ajouter quelques fleurs sur la dentelle et dans le coin en bas à droite de la photo.
4 - Tamponner le même motif plusieurs fois à différents endroits de la page.
5 - Découper cinq cercles de 5, 6, 7, 9 et 10 cm de diamètre. Gratter les bords puis les froisser. Superposer les cercles et fixer le tout sur la page avec un gros brad. Coller juste à côté le papillon.
6 - Nouer un ruban puis le coller dans le coin plié en haut à droite. Ajouter quelques fleurs avec des brads.
7 - Coller le titre de la page dans un porte-étiquette placé sur le tag. Ajouter un morceau de ruban et deux étiquettes agrafées ensemble pour la date, le lieu, etc.
8 - Terminer en grattant les contours du fond de page.

## Fournitures

Papiers : Onirie, Bazzill
Fleurs : Prima
Tampon : Onirie
Alphabet : Adornit
Rubans : American Crafts
Étiquettes : Jenni Bowlin
Brads : American Crafts, Little Yellow Bicycle
Porte-étiquette : Toga
Dentelle de récupération
Dentelle en papier
Slice : Making Memories
Papillon de récupération
Stylo correcteur : Tipp-Ex
Encre Distress noire : Ranger
Paper distresser : Tim Holtz
Agrafeuse

# Jeux d'ombre

Réalisation : Anémone Boscherini

## Présentation

1 - Prendre une feuille à motifs ton sur ton pour votre fond de page.

2 - Couper un rectangle de 19 x 22,5 cm dans un papier rayé puis découper trois de ses bords à l'aide de ciseaux cranteurs festonnés. Encrer les bords et le coller sur le fond, en haut à gauche.

3 - Couper un autre rectangle de 25 x 15 cm dans un papier à motifs et déchirer à la main le bord inférieur. Encrer les bords et le coller au centre de votre page.

4 - Matter la photo sur un quatrième papier imprimé et découper en laissant juste 2 mm de marge. Encrer à nouveau les bords. Coller alors votre photo à cheval sur les autres papiers, vers le bas de la page.

5 - Réaliser votre titre dans la partie supérieure avec deux alphabets autocollants différents.

6 - Décorer enfin avec des chipboards, strass autocollants et des fleurs maintenues par des brads, en les éparpillant sur votre page.

## Fournitures

Papiers : Toga
Tampons : Toga
Alphabets autocollants : Toga, My Mind's Eye
Fleurs : Prima
Attaches parisiennes : Making Memories, Toga
Chipboards : Toga
Strass : Prima
Ciseaux cranteurs : Toga

# Apprentissage

Réalisation : Nathalie Toussaint
videoscrap.free.fr

## Présentation

1 - Choisir un papier faux uni pour le fond. Dans un premier papier décoré, découper un rectangle de 21 x 11 cm et encrer les bords avec de la mousse Cut'n'Dry. Coller ce morceau en bas à l'horizontale. Dans un second papier décoré, découper un autre rectangle de 17 x 8 cm et encrer les bords avant de le placer sur la droite de la page.
2 - Placer une bande de magic mesh sur toute la largeur de la page à 6 cm du bas et coller par-dessus un ruban à l'aide de double-face. Placer un autre morceau de ruban en bas à droite coupé en biseau.
3 - Avec de petits pinceaux mousse ronds, tamponner des petits points tout autour de la page avec deux encres de différentes couleurs. Tamponner ensuite un motif en haut à gauche.
4 - Monter la photo sur un papier uni avec un bord de 5 mm et encrer les contours.
5 - Placer une feuille de bloc pour le journaling sur le bord gauche et ajouter une horloge en bas.
6 - Réaliser le titre aux stickers préalablement encrés pour obtenir la couleur désirée.

## Fournitures

Papiers : Bazzill, Basic Grey, 7gypsies
Encres : Versafine, VersaMagic
Tampon Damask : Heidi Swapp
Alphabet : Basic Grey
Magic mesh
Rubans : K & Company
Journaling : Toga
Horloge : Heidi Swapp
Pinceaux mousse ronds
Mousse Cut'n'Dry : Ranger
Double face

# Fripouille

Réalisation : Nathalie Toussaint
videoscrap.free.fr

## Présentation

1 - Pour le fond, choisir un papier très décoré avec des motifs d'écritures.
2 - Imprimer la photo en grand format, environ 18 cm de haut. Il faut choisir un portrait pouvant être détouré entièrement.
3 - Coller la photo au milieu du fond de page.
4 - Placer une ribambelle de fleurs pour cacher le bas de la photo. Décorer les fleurs avec des attaches parisiennes, perles de pluie, boutons…
5 - Tamponner des motifs papillons et les détourer entièrement. À l'aide d'un plioir, faire deux rainures et plier les ailes. Coller les papillons sur la page avec de la Glossy. Ne coller que le corps du papillon pour qu'il ait les ailes relevées.
6 - Utiliser des stickers pour le titre et ajouter des perles de pluie pour former le point des « i ».

## Fournitures

Papiers : Creative Imaginations, Bazzill
Alphabet : Basic Grey
Fleurs : Prima
Tampons : Inkadinkado
Perles de pluie : Gifi
Attaches parisiennes
Glossy : Ranger
Encre : Versafine bleue

# À la recherche des œufs

Réalisation : Nathalie Toussaint
videoscrap.free.fr

## Présentation

1 - Choisir un papier uni pour le fond. Dans un second papier uni, découper un carré de 27 x 27 cm et le coller au milieu du premier. Dans le papier à pois, découper une bande de 15 cm de haut et la coller à 6 cm du bas du fond de page.
2 - Coller un ruban juste en dessous de cette bande.
3 - Monter la photo sur un papier blanc et encrer les bords avant de coller le tout.
4 - Pour le journaling, découper un rectangle de 8 x 11 cm dans un papier uni et un autre de 7 x 10 cm dans un papier légèrement décoré. Les coller l'un par-dessus l'autre et placer un ruban sur la gauche.
5 - Décorer le journaling avec des fleurs et un motif réalisé au tampon et coloré dans les tons des papiers utilisés sur la page.
6 - Réaliser le titre avec des chipboards blancs et mettre de la peinture pailletée entre les lettres.
7 - Placer un ruban en dessous du titre pour la décoration et ajouter des fleurs avec des attaches parisiennes.

## Fournitures

Papiers : Bazzill, Little Yellow Bicycle
Rubans : Scrapmalin, Toga
Fleurs : Prima, Queen & Co
Alphabet : Toga
Peinture pailletée : Ranger
Attaches parisiennes : Queen & Co, Toga
Tampon : Magnolia

À la recherche des oeufs

Dans le jardin de mamie cocotte, Sarah cherche les oeufs que les cloches ont cachés. Romesnil Pâques 2006

# 3 ou 4 brindilles...

Réalisation : Sonia Kerzerho
soscrap.canalblog.com

## Présentation

1 - Travailler les bords du Bazzill à l'encre brown et white.
2 - Découper un carré de 28 x 28 cm dans le premier papier imprimé. Le froisser, l'encrer, en user les bords avec l'Aged Scraper et le coller au centre de la page.
3 - Découper une bande dans le liège, déchirer quelques morceaux sur les bords, l'encrer et la coller en bas de la page. Ciseler ensuite le second papier imprimé en suivant les motifs et le coller à même le liège et à l'aide de mousse 3D sur sa partie supérieure pour égaliser le niveau.
4 - Glisser le morceau de feuille de livre, le tag préalablement encré et le morceau de transparent Hambly.
5 - Travailler à l'acrylique blanche les endroits destinés à recevoir les motifs tamponnés « texte » (ici autour de la chouette et au niveau de la petite photo à droite). Une fois la peinture sèche, tamponner les motifs puis poser les masques « points », les gros en bas et les plus petits à droite. Tamponner de la peinture acrylique orange à l'aide d'un morceau de papier absorbant sur le masque. Déposer un peu de peinture sur un gobelet en plastique et l'appliquer aux endroits voulus.
6 - Finir en ajoutant les fleurs, décorées d'un rond perforé dans une page de livre, une attache parisienne, un petit nœud de ficelle, quelques morceaux de dentelle et papier encré agrafés sur le bord et les chipboards encrés légèrement.

## Fournitures

Papiers : Bazzill, Onirie
Plaque de liège
Transparent : Hambly Screen
Fleurs : Prima
Aged Scraper : Making Memories
Tampons « texte » : Artemio
Masques « points » : Heidi Swapp
Page de carnet et feuille de livre
Tag américain : 7gypsies
Dentelle, ficelle
Attache parisienne : Artemio
Œillets : Making Memories
Petite perforatrice ronde : EK Success
Encres : Colorbox brown et white
Peinture acrylique blanche et orange
Chipboards « branches », « chouette » : Toga
Mousse 3D

3 ou 4 brindilles
2 ou 3 petits cailloux
un petit garçon conquis

# Didou

Réalisation : Carole Violante Charbuy
caroline60.canalblog.com

## Présentation

1 - Découper le papier de fond rose à l'aide du pochoir « baroque » de Toga.

2 - Poser le pochoir « fleurs » Rayher sur le papier rose, protéger les côtés non recouverts du papier et vaporiser l'encre sur le pochoir. Ôter délicatement le pochoir et laisser sécher. Faire des petits points de gel pailleté dans les pétales. Fixer une attache parisienne dans le cœur de chaque fleur encrée.

3 - Poser le transfert « feuillage » sur les tiges des fleurs ainsi que sur la pointe au centre en haut de la page. Poser aussi le transfert de l'hirondelle.

4 - Faire des petits points au stylo gel marron tout autour de la page à 3 mm du bord.

5 - Couper un rectangle de 11 x 15 cm dans le papier à rayures et le coller sur la page. Poser en bas en les superposant, deux bandes de 5 x 13 cm dans les chutes des papiers vert et vieux rose ainsi qu'un petit bout de magic mesh marron. Coller la photo de 9 x 13 cm en biais.

6 - Tamponner l'étiquette carton-bois et encrer le tour. Faire le tampon rond French Touch sur une chute de papier vert, le découper et le coller sur l'étiquette. Coller à cheval sur le bord de la photo en bas à gauche.

7 - Coller le titre. Poser le transfert du mot sous la photo.

8 - Coller un morceau de ruban marron tout le long de la largeur de la page et le fixer derrière à l'aide d'un morceau de scotch. Faire un nœud à boucles avec le gros ruban et le coller sur la page. Fixer l'épingle dans le nœud central et y attacher à l'aide d'un ruban très fin les charms en métal. Finir en collant trois boutons sur le ruban marron.

## Fournitures

Papiers : BoBunny, Making Memories
Alphabet chipboards : Thicker
Alphabet transferts : Fancy Pants
Transferts : American Crafts, Fancy Pants
Pochoirs : Rayher, Toga
Encre : Glimmer Mist « crème de chocolat »
Gel pailleté cuivre Stickles : Ranger
Étiquette scallopée carton-bois : EmbelliScrap
Tampons : French Touch, AladinE
Rubans : Making Memories
Épingle : Gaïa
Charms métal : Rayher
Magic Mesh marron
Attaches parisiennes et boutons : Making Memories
Stylo gel marron
Scotch

# Sun

Réalisation : Florence Brimeux
videoscrap.free.fr

## Présentation

1 - Choisir un fond de page uni qui vous servira de base. Évider le milieu en laissant une marge de 4 cm, celui-ci servira pour réaliser d'autres embellissements. Coller par-dessus le papier festonné au centre de la page.
2 - Dans un papier très décoré, découper un rectangle de 24 x 16 cm. Déchirer le haut de ce rectangle sur une largeur de 4 cm et sur toute la longueur. Remplacer ce morceau déchiré par une bande de papier blanc de 16 x 4 cm. Coller un ruban sur cette bande et y faire un nœud.
3 - Réaliser, à l'aide de la Décoratrice de Toga plusieurs petites fleurs bordeaux et blanc, inverser le milieu de chaque fleur, une fois en blanc, une fois en bordeaux. Les coller en frise en haut du premier rectangle.
4 - Matter la photo deux fois, en blanc puis en noir.
5 - Réaliser avec un tampon transparent, un doodling dans le coin inférieur gauche du papier festonné.
6 - Décorer le coin de votre photo avec des fleurs en papier accrochées avec des attaches parisiennes ou décorées de boutons. Pour la décoration, vous pouvez rajouter des strass. Finir en collant votre titre au-dessus de la photo avec un alphabet chipboards.

## Fournitures

Papiers : Bazzill, SEI
Alphabet chipboards : Scenic Route
Fleurs : Prima
Boutons
Attaches parisiennes : Toga
Décoratrice : Toga
Dies petites fleurs : Toga
Ruban
Tampon transparent
Encreur : Colorbox
Strass